c u e n t o s   d e

El pirata Pepe
y los animales

Ana María Romero Yebra / Mikel Valverde

sm

DESDE LA PRECIOSA ISLA
DONDE ESTÁ PEPE, EL PIRATA,
SUS HIJOS VEN QUE SE ACERCA
UNA LIGERA FRAGATA.

—¡PAPÁ, PAPÁ! —GRITAN TODOS—
¡CORRE A LA PLAYA AHORA MISMO!
¡ES QUE VIENE HACIA NOSOTROS
UN BARCO DESCONOCIDO!

—¡NO PUEDE SER!
¡ESTA ISLA NO FIGURA EN NINGÚN MAPA!
¿CÓMO LA HABRÁN ENCONTRADO?
VOY A VER DE QUIÉN SE TRATA…

VOLVED HASTA LA CABAÑA
CON MAMÁ Y, ALLÍ ENCERRADOS,
ESPERÁIS A QUE OS AVISE
EN CUANTO SE HAYAN MARCHADO.

Y DETRÁS DE UNOS ARBUSTOS
PEPE, MUY BIEN ESCONDIDO,
VE QUE VAN DESEMBARCANDO
AQUELLOS DESCONOCIDOS.

MIRAN LOS ÁRBOLES ALTOS
EN DONDE ANIDAN LAS AVES,
Y LLEVAN REDES Y TRAMPAS
PARA CAZAR ANIMALES.

"DEBE DE SER LA BANDA
DEL COMERCIANTE VICENTE,
QUE VA DEJANDO LAS ISLAS
SIN NINGÚN BICHO VIVIENTE.

COGE PÁJAROS CANTORES,
PERIQUITOS Y COTORRAS,
Y VENDE LOS QUE NO MUEREN
PARA QUE HAGAN DE MASCOTAS.

CAPTURA A TODOS AQUELLOS
QUE TIENEN PIELES HERMOSAS
Y HACE CON ELLOS ABRIGOS
A LAS DAMAS CAPRICHOSAS.

Y MATA A LOS ELEFANTES
PARA LLEVARSE EL MARFIL.
YO QUIERO A LOS ANIMALES…
¡NO LO PUEDO CONSENTIR!"

—LORO: VUELA AL GALEÓN.
VAS A SER MI MENSAJERO.
CUENTA LO QUE AQUÍ PASA
A TODOS MIS COMPAÑEROS.

QUE PONGAN RUMBO A LA ISLA
SIN PERDER NI UN SOLO INSTANTE;
QUE ME TIENEN QUE AYUDAR
A EXPULSAR A ESTOS MANGANTES—.

CUANDO HAY MUCHOS ANIMALES
PRISIONEROS EN SUS JAULAS
APARECE EL GALEÓN
CON SU BANDERA PIRATA.

—¡A POR ELLOS! —GRITA PEPE.
—¡A POR ELLOS! —GRITAN TODOS.
—¡DEJAD NUESTROS ANIMALES!
¡NO OS LLEVARÉIS NI UNO SOLO!

SORPRENDIDOS Y ASUSTADOS
AL VER LOS PIRATAS FIEROS,
HUYEN POR EL MAR DEPRISA,
HASTA ALCANZAR SU VELERO.

LUEGO, PEPE Y LOS PIRATAS
A REDES Y JAULAS VAN,
Y A LOS ANIMALES PRESOS
DEVUELVEN LA LIBERTAD.

—¡QUÉ SUERTE TENEROS CERCA!
—DICE PEPE A SUS AMIGOS—.
¡LOS ANIMALES SALVADOS!
¡NOSOTROS AQUÍ REUNIDOS!

CON UNA FIESTA EN LA PLAYA
CELEBRARON AQUEL DÍA
PEPE, FAMILIA Y PIRATAS
LO MUCHO QUE SE QUERÍAN.

Primera edición: abril de 2008
Octava edición: agosto de 2017

Gerencia editorial: Gabriel Brandariz
Coordinación editorial: Teresa Tellechea

© del texto: Ana María Romero Yebra, 2008
© de las ilustraciones: Mikel Valverde, 2008
© Ediciones SM, 2008
Impresores, 2 - Parque Empresarial Prado del Espino
28660 Boadilla del Monte (Madrid)
www.grupo-sm.com

ATENCIÓN AL CLIENTE
Tel.: 902 121 323 / 912 080 403
e-mail: clientes@grupo-sm.com

ISBN: 978-84-675-1417-9
Depósito legal: M-32650-2009
Impreso en la UE / *Printed in EU*